Lilli e il VAGABONDO

The WALT DISNEY Company Italia S.p.A.
• L I B R I •

È la notte di Natale. La neve
scende soffice e silenziosa
sui tetti delle case e sui giardini.
Allegre decorazioni colorate
brillano nella strada deserta.

Nel salotto di una delle case i regali sotto l'albero attendono di essere aperti. "È per te, Tesoro, buon Natale," dice Gianni a sua moglie. Dalla scatola spunta una graziosa cagnolina. "Oh, che amore!" esclama Tesoro. "La chiamerò Lilli."

Il tempo passa, Lilli cresce ed è
molto amata dai suoi padroni.
Dorme sul loro letto e, al
mattino, è lei a svegliare Gianni,
a portargli le pantofole e
il giornale. Poi corre a salutare
il pesciolino nella sua boccia.

Ormai Lilli ha sei mesi e i suoi padroni
le hanno comprato un bel collare con
tanto di piastrina. Piena di orgoglio,
lo mostra ai suoi amici, il saggio
Whisky e Fido, un vecchio segugio
che, prima di perdere l'odorato,
era un abile cane poliziotto.

Non per tutti i cani, però, la vita è
così comoda e tranquilla. I randagi,
per esempio, devono sempre cercare
di sfuggire all'accalappiacani.
Solo Biagio il Vagabondo sa come
fare e, con grande abilità,
riesce a liberare i suoi amici.

Ma un giorno anche per Lilli arrivano
le preoccupazioni. "Qualcosa non va?"
chiede Fido vedendola così triste.
La cagnolina racconta che da un po'
di tempo si sente molto trascurata
da Gianni e Tesoro. E Whisky capisce
subito di cosa si tratta: "Tesoro sta
aspettando un marmocchio," annuncia.
Intanto il Vagabondo, che ha sentito
i loro discorsi, si avvicina incuriosito.

"Marmocchio?" chiede Lilli stupita. La cagnolina non sa proprio che cosa sia. Whisky e Fido cercano di spiegarglielo, ma il Vagabondo li interrompe. "Un marmocchio è un delizioso fagottino… di guai!" Biagio le descrive come cambierà la sua vita quando il bimbo nascerà: sarà terribile! A Whisky e Fido, però, quelle parole non piacciono e ringhiando lo cacciano via.

Finalmente il bimbo è nato ed è davvero
grazioso. A Lilli non sembra che la sua vita
sia cambiata come diceva il Vagabondo.
E poi Gianni e Tesoro sono così
felici! La cagnolina è convinta
che tutto andrà benissimo.

Purtroppo, invece, una brutta sorpresa
attende Lilli. I suoi padroni partono
per qualche giorno e affidano
il piccolo alle cure di zia Sara.
Non solo alla vecchia zia i cani
non piacciono, ha portato con sé
anche i suoi due gatti siamesi!

Appena arrivati, i due gattacci dispettosi si
mettono a combinare guai. Ora hanno
visto il pesciolino e vogliono catturarlo.
Lilli cerca di fermarli, ma la boccia di vetro
cade a terra. Quando poi i gatti si dirigono
verso la stanza del bambino, la cagnolina,
preoccupata, si mette a rincorrerli abbaiando.

Sentendo tutto quel fracasso, zia Sara
arriva di corsa. "Che succede laggiù?"
chiede con voce severa. I due gatti
bugiardi fingono di essere stati
aggrediti da Lilli e la zia, furiosa,
decide di punire la cagnolina.

Zia Sara si precipita al negozio di animali.
"Voglio una museruola," ordina decisa.
"Una bella forte!" A Lilli non era mai
accaduto niente di simile. Non può
proprio sopportare di essere trattata
in questo modo: è molto meglio fuggire!

Povera Lilli! La strada non è come il giardino
di casa. A ogni angolo sembra esserci
un pericolo. Carri e cavalli rischiano di
travolgerla e il guinzaglio e la museruola
le rendono la fuga ancora più difficile.

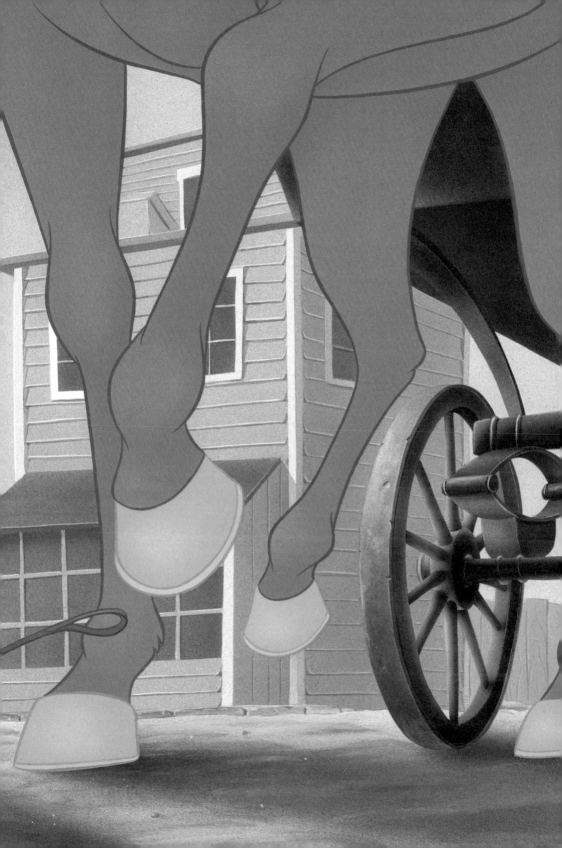

Scappando, la cagnolina si ritrova
in un quartiere sconosciuto, dove
alcuni cani randagi cominciano
a inseguirla inferociti. Lilli fugge
spaventata per i vicoli e passa
proprio davanti al Vagabondo.

Quando sembra che la cagnolina
non abbia più via di scampo,
Biagio interviene. Affronta
coraggiosamente quei cagnacci
e, dopo una lotta furibonda,
riesce a metterli in fuga.

Il Vagabondo è un po' sorpreso
di vedere Lilli. "Ehi, bimba,
che cosa ci fai qui in periferia?"
le chiede. Poi si accorge della
museruola. "Oh, poverina,
dovremo toglierti questo arnese!"
Biagio sa già come fare.

Con un trucco, i due cani entrano nello
zoo dove il Vagabondo pensa di trovare
qualche animale che possa aiutarli.
Così, conduce Lilli davanti alla gabbia
del coccodrillo. Ma invece di rompere
la museruola, il coccodrillo cerca di
mangiarsi la cagnolina! Biagio riesce a
salvarla appena in tempo, mentre la iena,
che ha assistito alla scena, ride divertita.

Ecco finalmente chi può aiutare Lilli:
il castoro! "Ehi, mi scusi, amico,"
lo chiama il Vagabondo. "Ho da fare,
figliolo," risponde il castoro, troppo
impegnato per ascoltarlo, "devo far
scendere questo tronco fino al laghetto."

Senza esitare, Biagio spiega al castoro
che la museruola di Lilli è proprio
quello che ci vuole perché, guarda caso,
è un "tiratronchi". Dovrà solo spezzare
la cinghia con i suoi denti robusti
e avrà a disposizione un utilissimo
strumento di lavoro. Il castoro si mette
subito all'opera e finalmente Lilli è libera.

Più tardi, passeggiando per la città, il Vagabondo
racconta a Lilli che lui non ha una famiglia.
"Vedi, bimba, quando sei libero, senza padroni,
ti godi solo quanto c'è di meglio," le spiega.
Intanto è arrivata l'ora di cena, e il cibo
migliore si trova al ristorante del suo amico
Tony! "Ciao, Biagio, dove sei stato tutto questo
tempo?" lo saluta Tony. "Ah, non sei solo!"
esclama, accorgendosi di Lilli. Allora
preparerà qualcosa di speciale per festeggiare!

Lilli e il Vagabondo non credono
ai loro occhi: Tony porta in tavola
un bel piatto di spaghetti con
squisite polpettine di carne.

Poi si mette a cantare e suonare
con il suo aiutante, rendendo
ancora più romantica quella
bella cenetta a lume di candela.

I due cani sono proprio felici.
È bello stare insieme, mangiare
del buon cibo, ascoltare la musica
e guardarsi negli occhi. Lilli si è
persino dimenticata di tutti i suoi
guai: i gatti, zia Sara, la museruola...

Dopo aver mangiato, Lilli e il Vagabondo
passeggiano nella campagna che circonda
la città. Seduti l'uno accanto all'altra, guardano
la luna piena e si addormentano sereni mentre
un tenero sentimento sta nascendo tra loro.

La mattina dopo, il Vagabondo
descrive a Lilli come può essere ricca
di emozioni la vita senza padroni, ma
lei vuole tornare a casa. "Chi baderebbe
al piccolo?" chiede preoccupata. Rassegnato,
Biagio accetta di riaccompagnarla. Prima, però,
sperando ancora di farle cambiare idea, le mostra
un gioco molto divertente: dare la caccia alle galline!

"Non faremo male alle galline?"
chiede la cagnolina. "No!" risponde
il Vagabondo. "Daremo loro
qualche emozione!"

Abbaiando a più non posso, Biagio
insegue le pigre e grasse galline.
E anche Lilli si ritrova a correre
in mezzo alla confusione generale.

A un tratto, si sente un colpo
di fucile. "Il segnale per tagliare
la corda!" dice in fretta
il Vagabondo. Nella fuga,
però, il cane si ritrova solo.
Dove sarà finita Lilli? Perdersi
nei vicoli può essere pericoloso!

E Lilli, infatti, è nei guai: l'accalappiacani
l'ha catturata e rinchiusa nel canile.
Insieme a lei ci sono altri cani,
con i quali fa presto amicizia.
Sono loro a raccontarle che
il Vagabondo è molto coraggioso…
ma anche un gran rubacuori!

Comunque, grazie alla piastrina
che porta al collo, Lilli viene
presto liberata. L'uomo
del canile le parla in tono
gentile: "Coraggio, piccola,
sono venuto a riportarti a casa".

Al ritorno, però, Lilli deve vedersela
con zia Sara che, per punirla della
sua fuga, la lega a una robusta
catena in giardino. La cagnolina
è così abbattuta che neppure
Whisky e Fido riescono a consolarla.

"Ciao, ragazzi. Che si dice di nuovo
nell'ambiente canino?" domanda
il Vagabondo comparso all'improvviso.
Biagio ha portato un osso
in regalo per la piccola Lilli.

Whisky e Fido, però, non sono contenti
di vederlo, e anche Lilli si sente offesa.
Per colpa sua è finita al canile. E poi
continua a pensare a tutte le cagnoline
amiche di Biagio di cui le hanno parlato.

Le scuse del Vagabondo non servono
a nulla: Lilli gli volta le spalle
e non guarda nemmeno l'osso
che Biagio le ha portato
per fare pace.

È davvero una triste notte
per Lilli! Se almeno
tornassero i suoi padroni!
La cagnolina è appena
entrata nella sua cuccia
quando si accorge che
un grosso e feroce topo
si sta dirigendo verso la casa.

In un attimo, l'orribile animale
ha già raggiunto la veranda
e sta per entrare in casa
da una finestra. Lilli cerca
di dare l'allarme abbaiando più
forte che può. "Zitta, zitta! Smetti
di abbaiare!" le ordina zia Sara,
che non si è accorta di nulla.

Per fortuna il Vagabondo è ancora vicino alla casa e ha sentito tutto. Se Lilli ha bisogno di lui, deve tornare di corsa! "Un topo… di sopra, nella stanza del bambino," gli dice la cagnolina. Biagio si precipita subito nella camera. La lotta con il topo non lo spaventa di sicuro!

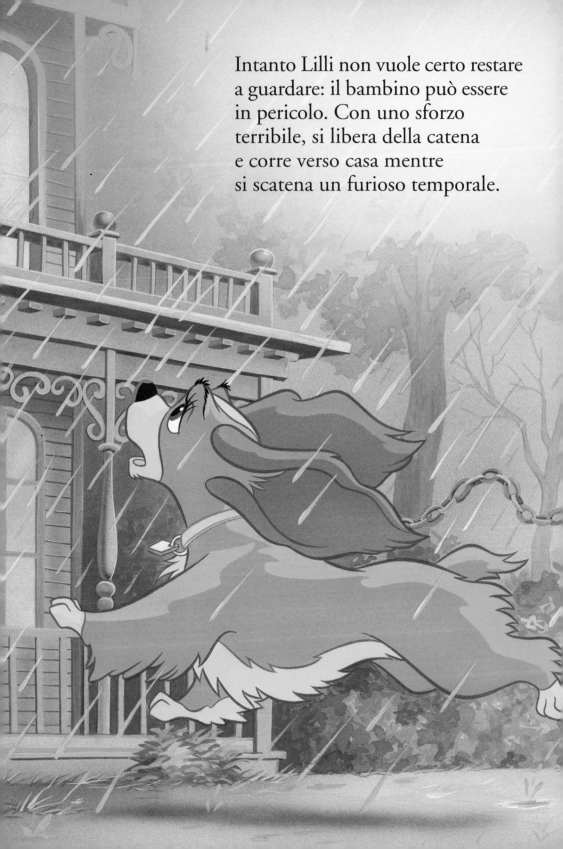

Intanto Lilli non vuole certo restare
a guardare: il bambino può essere
in pericolo. Con uno sforzo
terribile, si libera della catena
e corre verso casa mentre
si scatena un furioso temporale.

Grazie alla forza
e al coraggio
del Vagabondo
il topo è sconfitto.
Lilli è davvero
orgogliosa
del suo amico.

Ma, nella lotta, la culla si è rovesciata e
il piccolo piange disperato. Sentendolo,
zia Sara arriva di corsa. Non ha visto
il topo e non sa che cosa è successo.
"Via, indietro!" grida mentre agita
la scopa verso il Vagabondo. È convinta
che Biagio abbia aggredito il bambino,
e così lo chiude in una stanza al buio
e chiama il canile comunale.

Lilli, invece, viene imprigionata in cantina.
I suoi tentativi di fuggire sono inutili.
Anche abbaiare non serve a nulla:
zia Sara non le aprirà mai, sicura com'è
che anche lei meriti una punizione.
Intanto, l'accalappiacani sta per arrivare
e per il povero Biagio sarà la fine!

Il Vagabondo viene legato e portato sul carro dall'accalappiacani. Whisky e Fido osservano la scena e credono che Biagio abbia combinato qualche guaio. "Mi sono accorto che era un poco di buono dal primo momento che l'ho visto," dice Whisky convinto.

Proprio in quel momento tornano
i padroni di Lilli. Appena in casa,
zia Sara spiega loro che cosa è
successo, ma Gianni non riesce
a credere alle sue parole.
Quando finalmente liberano
Lilli, la cagnolina corre abbaiando
nella camera del bambino.
Sta cercando di dire qualcosa!

Lilli mostra a Gianni e Tesoro l'orribile topaccio
che è stato la causa di tutti quei guai. Biagio
è innocente! Subito Gianni sale con
Lilli sulla sua macchina e parte
all'inseguimento dell'accalappiacani.

Anche Whisky e Fido si erano
sbagliati sul conto di Biagio!
Per rimediare, si mettono
sulle tracce dell'accalappiacani,
decisi a liberare il Vagabondo.
I due cani sono un po' vecchi,
ma sono ancora in gamba,
e Fido sembra addirittura
aver riacquistato il suo fiuto
da vero segugio.

Una volta trovato il carro, Whisky e Fido
fanno imbizzarrire i cavalli. "Via, levatevi
di torno," grida l'accalappiacani.
"Andate via, cagnacci!" Ma nella
confusione il carro si rovescia.

Anche Lilli e il suo padrone hanno raggiunto
il carro. La cagnolina è la prima a scendere
dall'automobile e a correre dal Vagabondo.
All'improvviso, si sentono dei deboli guaiti.

Fido è rimasto imprigionato
sotto una ruota. Whisky
cerca di scuoterlo, ma Fido
non si muove. E il vecchio
cane, in pena per l'amico,
lo guarda pieno di tristezza.

Fortunatamente il vecchio Fido ha la pelle dura! È bastata una bella fasciatura alla zampa, un po' di riposo, ed è tornato in forma come prima. Mentre va a trovare i suoi amici, deve solo stare attento a non scivolare sul ghiaccio!

È di nuovo Natale! Lilli e il Vagabondo
hanno messo su famiglia. Ora ci sono
ben quattro cuccioli ad accogliere Whisky
e Fido davanti all'albero scintillante
di luci. E guarda un po', anche Biagio
porta un collare completo di piastrina!

Dopo tante avventure,
nella casa di Gianni
e Tesoro è tornata la pace.
Con i cuccioli e il bambino
li aspetta un futuro
pieno di felicità.

Lilli e il Vagabondo
© 1997, 2002
Testo italiano di Daniele Scaramelli
Editing di Agenzia Servizi Editoriali, Milano
The Walt Disney Company Italia S.p.A., Milano
Stampato da Rotolito Lombarda - Pioltello, Milano